Florenc

Jean l'impitoyable

Illustrations de Philippe Dumas

Mouche

l'école des loisirs

11, rue de Sèvres, Paris 6e

Du même auteur à *l'école des loisirs*

Collection MOUCHE

L'erreur de Pascal (épuisé)
La nuit chez Salomé
Pochée
Voleuse de peluche

Loi n° 49.956 du 16 juillet 1949 sur les publications destinées à la jeunesse : mars 2007
Dépôt légal : mars 2007
Imprimé en France par Aubin Imprimeur à Ligugé, Poitiers

ISBN 978-2-211-08755-1

To Mister Dad & Sir Jean

Jean était un petit garçon qui faisait toujours tout bien. Il obéissait à ses parents, rangeait sa chambre et ne refusait jamais de prêter ses billes à son petit frère Alfred, même si celui-ci risquait de les perdre toutes. Il travaillait bien à l'école, ne se battait avec personne, et le maître le montrait souvent en exemple. Il disait : « Regardez Jean, vous feriez bien de faire comme lui ! », ce qui était terriblement gênant mais n'empêchait pas

Jean d'avoir beaucoup d'amis, car il prêtait toujours ses devoirs à ceux qui avaient oublié de les faire et partageait tous ses bonbons, même s'il n'avait qu'un seul chewing-gum et qu'il fallait le couper en sept.

Jean n'avait pas d'ennemis, et heureusement pour lui, parce qu'il aurait détesté en avoir. Certains de ses camarades avaient des ennemis, des ennemis jurés, ou même mortels, et trouvaient cela normal. Ils semblaient même en être contents. Être content d'être détesté, pour Jean, c'était la chose la plus étrange du monde. Il frissonnait rien que d'y penser.

Jean avait des journées très remplies, car cela prend du temps de rendre service à ses parents, de faire ses devoirs et de chercher ses billes égarées. Mais chaque fois qu'il le pouvait, il se rendait en secret dans un endroit connu de lui seul. C'était un grand précipice caché dans la forêt.

Jean aimait s'asseoir au bord, les jambes dans le vide, et regarder tout en bas jusqu'à en avoir le vertige. Ce qu'il aimait dans cet endroit, c'est qu'il s'y sentait un peu triste, mais que cela lui faisait du bien. Souvent, il emportait pour les relire les cartes postales que lui envoyait sa grand-mère. Sa grand-mère était une grande voyageuse. Un jour, elle lui écrivait du pôle Nord, où elle apprenait, auprès d'un Eskimo nommé Nanouk, la meilleure technique pour construire un igloo, la semaine suivante, elle prenait le

thé avec la fille de l'empereur du Japon, avant d'aller retrouver de vieux amis africains qui l'attendaient pour un mariage. Ses cartes postales commençaient toujours par la même phrase :

Mon cher Jean,

J'ai vraiment bien fait d'entreprendre ce voyage, je passe un séjour absolument merveilleux, chaque journée m'apporte des bonheurs imprévus.

Quand Jean était dans son endroit secret, il n'avait jamais envie d'en partir. Il détestait le moment où il devait se lever et reprendre le chemin de la maison. Pour se consoler, il imaginait sa grand-mère en train de construire un igloo ou de prendre un cours de japonais.

Chaque année, au mois de mai, le village où habitait Jean organisait une fête appelée la fête du Grand Prix. Au cours de cette fête, il y avait une grande parade et, au cours de cette parade, un garçon devait traverser à pied le ruisseau qui coulait au milieu du village en portant dans ses bras un énorme gâteau à la crème. Ensuite, les villageois mangeaient le gâteau.

Cette année-là, c'est Jean qui fut choisi. Ses parents furent si heureux lorsqu'ils apprirent la nouvelle qu'ils firent la ronde autour de lui en criant « Hourra ! », et sa mère entreprit aussitôt de lui confectionner un très joli costume sur lequel elle broda JEAN en lettres dorées, au milieu du dos. Son père essayait de rester modeste, mais il ne pouvait s'empêcher de répéter :

– Jean est un garçon parfait, c'est un peu normal qu'il ait été choisi.

Tous ceux qui croisaient Jean lui disaient :

– Tu en as de la chance !

Son petit frère l'admirait, et ses amis étaient jaloux. Jean, lui, se sentait mal à l'aise. Il n'aimait pas beaucoup cette fête et aurait préféré ne pas être choisi. À plusieurs reprises, quand on lui demanda : « Tu es content ? », il répondit timidement que tant d'autres garçons seraient bien plus contents que lui... Mais on ne l'entendit même pas.

La veille de la fête, il se rendit au précipice pour réfléchir. Il regrettait que sa grand-mère ne soit pas là pour le conseiller. Il s'installa à sa place habituelle, les pieds dans le vide, et regarda tout en bas. Chaque minute qui passait lui disait qu'il n'avait vraiment, vraiment pas envie d'être celui qui porterait le gâteau le lendemain. Ça ne lui faisait pas plaisir, ça ne l'amusait pas du tout, il fallait que l'on donne sa place à un d'autre, c'était ça la solution. C'est ce qu'il dirait à ses parents en rentrant, et tout s'arrangerait. Le soleil déclinait et il s'empressa de se mettre en route, le cœur un peu plus léger.

Mais au dîner, lorsqu'il ouvrit la bouche et prononça ces mots :

– Je préfère donner ma place à quelqu'un d'autre, demain.

Rien ne se passa comme il l'avait espéré.

Sa mère sourit d'un air attendri et dit :

– Donner ta place à un autre, c'est tellement gentil, ça te ressemble tellement.

Et son père ajouta :

– Tu as un peu le trac, c'est tout. Cela m'étonne, tu n'es pas si émotif, d'habitude. Mais cela peut se comprendre, après tout, tu seras un peu le roi du village, demain…

Jean insista, essaya d'expliquer qu'il ne voulait pas porter le gâteau, mais ses parents étaient comme sourds. Un mauvais pressentiment l'envahit.

– J'ai peur que la fête soit ratée à cause de moi, demain, dit-il d'un air sombre.

Le seul résultat fut que ses parents l'envoyèrent se coucher, pensant que l'émotion lui chauffait la tête.

Le lendemain matin, tout le village était réuni de chaque côté du ruisseau et le maire portait son gilet à boutons de diamant. La fanfare se mit à jouer et ce fut le début de la parade. Puis le maire frappa dans ses mains et le pâtissier remit à Jean l'énorme gâteau. Un grand silence se fit.

– Jean, c'est à toi, dit le maire.

Jean regarda le ruisseau. Lui qui aimait tellement se baigner s'aperçut qu'il n'avait aucune, mais vraiment aucune envie d'y mettre les pieds. Il voulut se forcer mais ses jambes refusèrent d'avancer. Il poussa intérieurement un grand soupir.

– Vas-y, mon garçon, répéta le maire.

Jean posa doucement le gâteau par terre et dit :

– Non.

Un frisson d'étonnement parcourut la foule. Jean lui-même faillit sursauter en entendant ce qui était sorti de sa bouche.

– Il y a un problème ? demanda le maire.

– Non, dit Jean très poliment, il n'y a aucun problème, Monsieur le Maire,

JEAN

c'est juste que je n'ai pas envie de le faire et qu'il faut demander à quelqu'un d'autre.

– Mais si, tu en as envie, voyons, dit le maire en tripotant ses boutons de diamant.

– Non, dit Jean.

– Il est malade ! s'écria sa mère. Jean, mon petit Jean, tu as de la fièvre ?

Mais le front de Jean était très frais. Pourtant, il faisait plutôt chaud sur la place du village. Et, à force d'être en plein soleil, le gâteau à la crème commençait à fondre.

– Si c'est une blague, elle est très drôle, mais il faut arrêter, maintenant, dit le maire.

– Je ne la trouve pas si drôle, moi, dit l'instituteur.

– Tu es en train de me faire de la peine, dit sa mère.

– Il te reste cinq secondes pour obéir, dit son père.

– Moi, je veux bien le faire ! cria son petit frère Alfred, et il reçut une claque.

Jean resta sans bouger. Ça y est, pensa-t-il, la fête est gâchée, complètement gâchée, à cause de moi. Cela le gênait beaucoup. Une goutte de crème fondue tomba sur sa chaussure. Le maire reprit la parole.

– Je déclare que la fête du Grand Prix n'est pas annulée. Elle est simplement reportée jusqu'à ce que ce garçon retrouve la raison. Pâtissier, tu prépareras un gâteau chaque jour. Quant à toi, Jean, je t'interdis d'enlever ton costume.

Chacun rentra chez soi.

Jean fut privé de dîner. Il monta dans sa chambre et se glissa dans son petit lit aux draps tout blancs. Jusque tard dans la nuit, il entendit ses parents murmurer dans la pièce voisine.

– Quelle honte pour notre famille ! disait la voix de son père.

– La nuit porte conseil, je suis sûre qu'à son réveil il aura changé d'avis, disait la voix de sa mère.

Jean pensait à sa grand-mère. Faisait-il nuit aussi, là-bas, en Afrique ? Était-elle en train de danser au mariage ? Que dirait-elle de toute cette histoire ?

Il finit par s'endormir, épuisé, et ne fit que des cauchemars.

Le lendemain matin, la mère de Jean vint lui dire que le petit déjeuner était prêt. Jean descendit à la cuisine dans son costume qu'il n'avait pas quitté.

Ses parents attendirent patiemment qu'il ait fini de manger ses tartines et de boire son chocolat, puis ils lui demandèrent :

– Comment te sens-tu ce matin ?

– Bien, répondit Jean.

– Dans ce cas, dit son père, tu es certainement d'accord pour porter le gâteau.

– Non, dit Jean d'une petite voix, tout est comme hier.

– Mais enfin, s'écria son père, ce n'est quand même pas difficile de se tremper les pieds en portant un gâteau !

– Non, ce n'est pas difficile du tout, répondit Jean. N'importe qui peut le faire. Tous les garçons du village en ont

envie, et moi pas. Je ne comprends pas pourquoi je ne peux pas donner ma place.

– N'inverse pas les rôles, mon fils, dit froidement son père. C'est nous qui ne te comprenons plus.

Jean ne dit plus rien et se mit à regarder par la fenêtre. À cet instant, on frappa à la porte. C'était un envoyé du maire.

– Votre fils a-t-il changé d'avis ? demanda-t-il sans même dire bonjour.

– Hélas, non ! répondit la mère de Jean d'une voix tremblante.

– Je ne suis pas sûr que vous fassiez bien votre travail de parents, dit l'envoyé.

Et il repartit sans dire au revoir non plus.

Trois jours passèrent. Dans les rues du village, les guirlandes en papier qui avaient été accrochées pour la fête prenaient un air sale. On chuchotait beaucoup. On disait que le maire était absolument furieux et qu'il n'arrêtait pas de téléphoner à des gens encore plus importants que lui.

Au matin du quatrième jour, les gendarmes vinrent chercher Jean. Ils lui dirent qu'il ne fallait pas plaisanter avec la fête du Grand Prix et qu'il allait devoir passer devant un tribunal.

POLICE
POLICE

– Est-ce qu'il peut emporter sa petite veste en laine ? demanda la mère de Jean.

– Pour le tribunal, ce n'est pas la peine, madame, répondirent les gendarmes. Il y fait toujours très chaud. C'est en prison qu'il fait froid.

À présent, le pays tout entier était au courant de cette terrible histoire. Même le président de la République en avait été informé, et il était, paraît-il, très fâché contre Jean.

On parlait de Jean dans les journaux. Les journalistes écrivaient que ce n'était vraiment pas gentil de la part d'un petit garçon de gâcher exprès une aussi belle fête que celle du Grand Prix, et qu'il fallait avoir le cœur bien dur pour ne pas avoir pitié de la tristesse de tout un village. Ils le surnommèrent Jean l'impitoyable.

*
* *

Au tribunal, il faisait effectivement très chaud, pourtant les juges étaient vêtus de longues robes rouges à col de fourrure. Ils dirent à Jean :

– Nous sommes là pour mesurer ton crime.

– Ça se mesure comment, un crime ? demanda Jean.

– Un crime se mesure au nombre de personnes qui sont fâchées, répondirent les juges.

Le soir, dans leur maison, les parents de Jean allumèrent la télévision à l'heure des informations.

– Et voici maintenant des nouvelles de Jean l'impitoyable, dit le présentateur.

Jean apparut alors sur l'écran, dans son petit costume avec son nom brodé en lettres dorées. Il était assis sur un banc de bois devant les juges.

– Mon Dieu, mon Dieu ! dit son père.

– Mon fils, mon fils ! dit sa mère.

– Moi aussi, je veux passer à la télévision ! cria son petit frère Alfred, et il reçut de nouveau une claque.

Pendant plusieurs jours et plusieurs nuits, les juges mesurèrent à l'aide d'immenses ficelles la file d'attente des gens venus dire qu'ils étaient fâchés contre Jean. Certains portaient des pancartes qui disaient « J'aime la fête du

Grand Prix » ou « Punissez Jean l'impitoyable ! » ou encore « Vive les juges ! ». Certains portaient de lourds paniers avec des pique-niques et des sacs de couchage car ils étaient venus de très loin et attendaient depuis longtemps. Tous les pâtissiers du pays s'étaient évidemment déplacés, très en colère, disant qu'ils se sentaient particulièrement insultés et réclamant pour Jean un châtiment exemplaire.

Dans cette file interminable, il y avait aussi les membres d'une association qui s'appelait les Cœurs Sensibles. On les reconnaissait de loin à leurs immenses mouchoirs à carreaux qu'ils essoraient dans le caniveau avant de les tremper à nouveau de leurs larmes. Les Cœurs Sensibles étaient si sensibles que toute

cruauté leur causait d'intolérables souffrances, et ils disaient que, justement, rien au monde ne les avait jamais autant fait souffrir que la cruelle obstination de Jean. « La prison, ce n'est pas suffisant pour punir une telle méchanceté » ajoutaient-ils. Ils pensaient que la seule solution, c'était de pendre cet impitoyable petit garçon, oui, de le pendre haut et

court, et très vite, car Dieu sait de quelles atrocités il deviendrait capable en grandissant.

Quand les juges eurent fini de mesurer, on fit sortir Jean de la petite pièce où on l'avait enfermé pour qu'il paraisse à nouveau devant eux.

– Ton crime est très grand, dirent les juges. Il n'y a qu'une seule personne dans ce pays qui ne soit pas fâchée contre toi, c'est ta grand-mère, qui est venue témoigner en ta faveur hier.

À ces mots, le cœur de Jean se mit à battre plus fort. Il n'était plus seul, sa grand-mère était là, elle était venue pour le défendre, elle allait sûrement le faire sortir de cet endroit et l'emmener avec lui.

– Mais son témoignage ne compte pas, ajoutèrent les juges. Nous nous sommes renseignés à son sujet, elle t'aime vraiment beaucoup, et c'est évidemment la raison pour laquelle elle est de ton côté. Si elle faisait partie des gens fâchés, nous pourrions la croire, mais là, vraiment, son témoignage n'est pas fiable.

– Par ailleurs, ajouta l'un des juges, on voit bien que ce n'est pas une grand-mère normale. Elle arrivait d'Ouagadougou. Les grands-mères normales ne vont pas à Ouagadougou. Les grands-mères normales font des clafoutis aux cerises.

Jean faillit dire qu'il n'aimait pas tellement le clafoutis aux cerises, mais il se retint juste à temps.

– Bref, dirent les juges, tu es condamné à trois mois de prison. Tu ne recevras aucune visite. Les gens contre qui tout le monde est fâché ne reçoivent pas de visite, puisque personne n'a envie de les voir. Quant à ta grand-mère, comme elle est de ton côté, sa demande a été refusée. Ta mère sera autorisée à t'envoyer ta petite veste en laine. Bien sûr, si tu changes d'avis, tu pourras sortir plus tôt. Tu iras alors immédiatement traverser le ruisseau avec le gâteau.

Le soir même, Jean se retrouvait dans une petite cellule en pierre, avec des barreaux à la fenêtre. Contre le mur, il y avait une paillasse recouverte d'une vilaine couverture, qui grattait certainement, et près de la paillasse une bougie et une boîte d'allumettes. Par terre dans un coin était posée sa veste en laine. Jean la regarda et sa gorge se serra.

D'abord sa grand-mère était venue et il n'avait même pas eu le droit de la voir. Et à présent, c'était un peu comme si sa mère était près de lui, mais il ne pouvait pas la voir non plus. Il se sentit triste, triste comme il ne l'avait encore jamais été de sa vie. Il ne faut surtout pas que je pleure maintenant, pensa-t-il, car il n'y a personne pour me consoler.

Comme la nuit tombait, il alluma la bougie. Il chercha un moyen de se donner du courage. C'est un peu comme d'être à mon précipice, ici, se dit-il, je suis tranquille, tout seul, personne ne peut m'embêter. Et je ne suis même pas obligé de rentrer pour le dîner. Mais aussitôt, il songea que, même dans trois mois, il n'aurait pas envie de rentrer chez lui, de retrouver son village et tous ces gens fâchés. Il valait mieux rester en prison longtemps, très longtemps, toute la vie peut-être. Ça n'allait pas être drôle.

– Bonsoir, dit une voix près de lui.

Jean sursauta. C'était une petite souris gris foncé qui l'observait attentivement. La flamme de la bougie faisait briller ses yeux.

– C'est donc toi, Jean l'impitoyable ? Tu trouves ça malin de te retrouver en

prison ? Tu ne crois pas que tu aurais mieux fait de porter ce gâteau ?

Jean sentit que ses yeux se remplissaient de larmes et il tourna la tête. Il n'avait aucune envie de pleurer devant une souris

– C'était une blague, dit aussitôt la souris. Je m'en fiche complètement, moi, de ce gâteau. Et, très égoïstement, car je suis une souris extrêmement égoïste, je suis contente que tu sois là. Ça me fait de la compagnie. Si tu avais porté ce gâteau, j'aurais eu une distraction en moins. Et puis, avec un peu de chance, tu seras d'accord pour me donner quelques miettes de ton dîner. J'ai très faim, ce soir.

– Je n'aurai pas de dîner, ce soir, répondit Jean. Le gardien m'a prévenu. C'est à la demande des pâtissiers.

– Ah, c'est pour ça que tu es triste.

– Pas du tout! protesta Jean, qui d'ailleurs commençait à avoir l'habitude de se coucher le ventre vide, c'est à cause de ma grand-mère. Ça doit lui faire de la peine de me savoir en prison.

– Tant pis, soupira la souris, je suis une souris égoïste, affamée mais très sage, alors je sais attendre. Je te souhaite une bonne nuit. Demain, je reviendrai te voir et je te proposerai un marché. Maintenant, tu devrais dormir. Il faut beaucoup dormir quand on est en prison. Surtout quand on est privé de dîner.

L'instant d'après, elle s'était glissée dans une petite fissure et le bout de sa queue avait disparu.

*
* *

Jean se pelotonna sur sa paillasse. À la place de la couverture, il mit sur lui sa veste en laine. Il pensait qu'il n'arriverait jamais à s'endormir mais, en quelques secondes seulement, ses pensées lui échappèrent comme de l'eau entre ses doigts et il tomba dans un profond sommeil.

Il fut réveillé le lendemain par une patte de souris qui lui tapotait l'épaule.

– Bonjour, bonjour, dit joyeusement la souris, c'est l'heure du petit déjeuner.

En effet, sur un plateau, près de la grille, étaient posés un bol de café au lait tiède et une tranche de pain sans confiture. Jean se souvint que la souris avait très faim et il lui donna un morceau de pain.

Elle le dévora à toute vitesse, puis se lissa délicatement les moustaches.

MAISON DARRÊT

– Et maintenant, je vais tout t'expliquer, dit-elle, mon métier est de faire évader les prisonniers. J'ai des dents extrêmement solides et une excellente technique, je peux ronger les barreaux d'une fenêtre comme celle-ci en moins d'une nuit. C'est un talent qui se transmet dans la famille. Je le tiens de mon père, qui le tenait de sa mère, qui le tenait de son propre père, qui le tenait de sa tante. Enfin voilà, nous faisons évader des prisonniers depuis des générations et des générations. Pas n'importe quels prisonniers, évidemment. Je ne ferais jamais évader un assassin, j'aurais bien trop peur de rentrer dans sa cellule. Je suis une souris tout à fait prudente. Je me méfie aussi de certains voleurs. Je n'ai aucune envie de me faire dévaliser.

Jean reposa son bol de café au lait, qui était parfaitement froid à présent, et regarda la souris, perplexe. Qu'aurait-on pu lui voler ? Elle n'avait ni portefeuille, ni montre, pas même un chapeau ou un parapluie.

– Mes moustaches, dit la souris, comme si elle avait deviné sa pensée. Et

bien d'autres choses. Mon sourire – on m'a toujours dit que j'avais un joli sourire – ma tranquillité, ma gaieté...

Tout ça pour te dire que je choisis mes prisonniers, ou plutôt mes évadés. En général, je leur demande de me garder la moitié de leurs repas pendant trois jours. Mais toi, comme tu m'es particulièrement sympathique et que tu as été privé de dîner hier, je te ferai un prix.

– Euh, je crois que je préfère ne pas m'évader, dit Jean.

La souris leva un sourcil.

Ça y est, se dit-il, ça recommence, encore quelqu'un qui va être fâché. Mais qu'est-ce qui m'arrive en ce moment?

– Pour quelle raison préférerais-tu ne pas t'évader, je te prie? demanda la souris.

– Je ne sais pas, dit Jean. Je n'en ai pas très envie.

– Mon petit bonhomme, ce n'est pas normal de ne pas vouloir s'évader. Alors je veux la raison. Précise et exacte.

– Je vais y réfléchir, dit Jean. Mais je peux quand même te donner à manger si tu as faim.

– Hum, fit la souris, c'est vrai que tu es mon seul prisonnier, en ce moment. Mais je n'aime pas l'idée de te prendre de la nourriture sans rien te donner en échange. Je vais plutôt aller voir dans le bureau du directeur de la prison. En général, il garde des chips dans son tiroir. Mon cher Jean l'impitoyable, je vais te laisser réfléchir et je reviendrai ce soir.

Enfin tranquille, se dit Jean. Et maintenant, je vais passer une bonne journée dans cette prison. Je n'ai aucune envie de m'évader. Pourquoi aurais-je envie de sortir alors que, dehors, tout le monde me déteste ? Je ne veux plus qu'on m'embête. Je suis très bien tout seul.

Il essaya de se fabriquer un jeu de dames avec les miettes de son petit

déjeuner, mais elles étaient tellement petites que ce n'était vraiment pas drôle. Ensuite, il essaya de se rappeler toutes les chansons qu'il aimait et de les chanter bien fort en regardant le ciel à travers les barreaux de sa fenêtre, mais sa voix restait coincée dans sa gorge et cela rendait toutes les chansons tristes. Alors il décida de se raconter ses histoires préférées, mais tout à coup il les avait oubliées.

Découragé, il se laissa tomber sur sa paillasse et ferma les yeux.

– Mon petit-fils que j'aime tant, dit près de lui une voix qu'il connaissait bien.

– Oh, grand-mère ! dit Jean.

Il ouvrit les yeux et vit qu'il était assis au bord de son précipice. Sa grand-mère

était à côté de lui et s'amusait à jeter dedans des petits cailloux blancs.

– Que se passe-t-il ? demanda Jean. Je me suis évadé ?

– Pas encore, répondit sa grand-mère, mais j'espère bien que tu vas le faire.

– Alors je suis en train de rêver ?

– Oui, nous sommes tous les deux en train de rêver, mais c'est en vrai que je te parle.

Elle posa la main sur la sienne et Jean se dit : Mais oui, c'est bien la main de grand-mère, un peu fripée dessus et très douce dessous. Je la reconnaîtrais entre mille.

– Jean, mon petit Jean, dit-elle, ne perds pas ton temps en prison. Il faut que tu acceptes vite la proposition de cette souris. Elle semble bien connaître son métier. Tu as vu comme ses dents ont l'air solide ?

– J'ai peur de sortir, grand-mère. J'ai l'impression que plus personne ne m'aime, à part toi. Je crois que ma vie est gâchée. Je voudrais tout recommencer, et cette fois je ferais vraiment tout bien.

– Ttttt ttttt ! fit sa grand-mère. Rien n'est jamais gâché. Regarde.

Elle sortit un livre de sa poche. Sur la couverture, on pouvait lire : *Les merveilleuses Aventures de Jean*. Il y avait énormément de pages. Jean commença à les feuilleter.

– C'est moi ! s'écria-t-il en se reconnaissant sur les dessins. C'est moi sur un cheval...Oh, mais que se passe-t-il ?

Dès qu'il regardait un dessin de près, la page devenait toute blanche.

– Personne ne doit connaître son avenir, dit sa grand-mère. C'est pour ça que les pages s'effacent quand tu les regardes.

Au bout de quelques instants, Jean se retrouva avec un livre tout blanc entre les mains.

– En tout cas, ça avait l'air bien, dit-il.

– Oui, dit sa grand-mère en reprenant le livre, je ne l'ai pas lu car moi non plus je ne dois pas connaître ton avenir. Mais je sais que c'est un des livres les plus passionnants qui existent, et c'est pour ça qu'il est urgent que tu t'évades. Si tu restes dans cette cellule avec une bougie et une couverture qui gratte, le livre va devenir extrêmement ennuyeux. Alors maintenant, il faut vite partir. Et s'il te plaît, mon chéri, arrête de vouloir faire tout bien, tout le temps, ça me fatigue.

Jean sentit sur sa joue le baiser doux et frais de sa grand-mère et, l'instant d'après, il était de nouveau dans sa cellule. Le gardien ouvrait la grille pour lui apporter son repas de midi.

– Une lettre est arrivée pour toi ce matin, dit-il à Jean.

L'enveloppe était posée sur le plateau. Jean reconnut aussitôt l'écriture catastrophique de son petit frère Alfred. Il se dépêcha d'ouvrir la lettre.

Mon cher Jean,

Depui ke tu éparti, maman pleur toultan et défoi papa aussi mé en kachett. Il sé batu avec le mer et il a gagné. Le mer a un gro pansman sur la tête et sa fé bien rigolé. Revien vite, je m'ennui et maman pleur vrémantro. N'oubli pa de me raporté un cado de la prison.

Alfred, ton peti frère que tu ador

Son père s'était battu avec le maire ? Jean n'en croyait pas ses yeux. Il se mit à faire des bonds de joie et à danser autour de son plateau en poussant des cris d'Indien. Il ne toucha pas une miette de son repas, espérant que, s'il gardait tout pour la souris, elle serait d'accord pour le faire évader le soir même.

L'après-midi lui parut terriblement longue, mais enfin vint l'heure d'allumer la bougie, et, juste après, l'heure du repas du soir et quelques instants plus tard la souris était là, souriant de toutes ses solides petites dents.

– Bonsoir, mon cher Jean l'impitoyable, dit-elle, les yeux brillants, et, voyant les plateaux auxquels Jean n'avait pas touché, elle ajouta : Il y a de l'évasion dans l'air, on dirait.

– Oui, dit Jean, je suis très pressé de rentrer chez moi.

– Si tu cours vite, répondit la souris, au lever du jour, tu verras ta maison.

Tiens, prends quand même un peu de pain, il te faut des forces pour la route.

La souris mangea de bon appétit, puis elle lissa délicatement ses moustaches et se mit au travail. Bien avant l'aube, le dernier barreau était rongé. Jean prit la bougie et les allumettes pour les offrir à son petit frère, et dit au revoir à la souris.

– Dur métier que le mien, dit-elle, dès que je me fais un ami, je l'aide à s'en aller ! Heureusement que je suis une souris qui aime le changement !

Jean serra sa petite patte dans sa main, escalada la fenêtre et se mit à courir de toute la force de ses jambes. Il courut à travers les rues sombres, courut à travers la campagne et, avant que le soleil soit levé, il se glissait silencieusement dans sa maison pour faire à ses parents la surprise de son retour.

Épilogue

Jamais les parents de Jean n'avaient été si heureux. Son père, surtout, débordait de joie et de fierté. Pendant des jours, des semaines et même des années, il ne cessa de parler du courage de son fils, qui ne s'était pas laissé impressionner par la colère de tout un village et d'un pays entier.

– Vous vous rendez compte, disait-il, c'était un petit garçon de huit ans, tout le monde était contre lui, il a connu la prison et il a même réussi à s'évader. Mon fils est le plus courageux du monde !

Les gens du village furent presque tous de cet avis. Aussi le maire dut-il démissionner, et c'est le père de Jean qui fut élu à sa place. Il demanda aussitôt au président de la République de supprimer les fêtes imbéciles où l'on doit traverser des ruisseaux en portant des gâteaux.

La seule personne qui resta fâchée à tout jamais fut le pâtissier. Jean avait donc à présent un ennemi juré – et même plusieurs, puisque le pâtissier avait des enfants – et il s'aperçut que, si ce n'était pas une chose très agréable, ça ne l'empêchait pas de passer de bonnes journées.

Ni même de manger des gâteaux de temps en temps, puisqu'un second pâtissier s'était installé au village.

Souvent, les camarades de Jean lui demandaient de raconter son procès, la prison et son évasion. Ils aimaient l'appeler Jean l'impitoyable et ce surnom lui resta très longtemps.

Chaque fois qu'il en avait envie, Jean se rendait dans son endroit secret, au bord du précipice, pour relire les cartes postales de sa grand-mère et, en fermant les yeux, se souvenir de sa main fripée et toute douce sur la sienne. Il découvrit un jour qu'elle avait caché pour lui le livre aux pages mystérieuses sous une pierre moussue. Et ce jour-là, il lui sembla bien apercevoir au travers des feuillages un cheval blanc qui piaffait d'impatience.